幼儿小百科

奇妙的昆虫世界

姚云志◎编著

北京联合出版公司
Beijing United Publishing Co.,Ltd.

图书在版编目 (CIP) 数据

奇妙的昆虫世界／姚云志编著 .—北京：北京联合出版公司，2018.5（2020.4 重印）

（幼儿小百科）

ISBN 978-7-5596-1932-7

Ⅰ．①奇… Ⅱ．①姚… Ⅲ．①昆虫－儿童读物 Ⅳ．① Q96-49

中国版本图书馆 CIP 数据核字 (2018) 第 068738 号

幼儿小百科

·奇妙的昆虫世界·

选题策划： 上河图书

项目策划： 冷寒风

责任编辑： 杨 青　高霁月

特约编辑： 李春蕾　宋春秀

插图绘制： 杨惠钧　铁皮人美术

美术统筹： 吴金周

封面设计： 周　正

北京联合出版公司出版

（北京市西城区德外大街83号楼9层 100088）

文畅阁印刷有限公司印刷 新华书店经销

字数10千字 720×787毫米 1 / 12 4印张

2018年5月第1版 2020年4月第4次印刷

ISBN 978-7-5596-1932-7

定价：24.90元

目录

小昆虫的大世界……4

屎壳郎 团粪专家……6

螳螂 捕虫神刀手……8

萤火虫 草丛里的星星……10

蚂蚁 导航专家……12

蜜蜂 天才建筑师……14

七星瓢虫 身披星星的花大姐……16

蜻蜓 闪电飞行员……18

蚕宝宝 裹在"丝被"里的小肉团……20

蝴蝶 翩翩起舞的仙子……22

蝉 耳聋的歌唱家……24

毛毛虫 会变身的魔术师……26

蝗虫 庄稼地里的坏蛋……28

放屁虫 会"投弹"的臭大姐……30

竹节虫 双料冠军……32

蟋蟀 麦田里的演奏家……34

它们不是昆虫……36

蜘蛛 纺织小能手……38

蜗牛 背着房子的旅行者……39

蜈蚣 凶猛的用毒大师……40

蚯蚓 能干的土壤净化员……41

昆虫观察记……42

昆虫出现啦……46

游戏时间：折知了……48

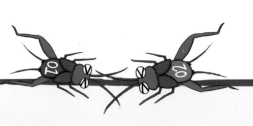

小昆虫的大世界

蚂蚁用什么识别方向?

萤火虫为什么会发光?

蜻蜓身上为什么有黑点点?

蚕宝宝是因为受伤把自己裹起来的吗?

让我们一起走进奇妙的昆虫世界吧!

屎壳郎 团粪专家

屎壳郎既是"邋遢大王"，又是大自然中很有名的清洁工。在有粪便的地方常常会看到它忙碌的身影。

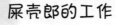

那边是东边。

屎壳郎的工作

屎壳郎每天的"工作"就是把粪便滚成圆圆的粪球，埋在土中。到了繁殖的季节，雌屎壳郎会将卵产在粪球里，粪球就成了孩子们温暖的家，同时，粪球也成为它们生长需要的食物。

不努力挖，孩子们没有地方住啦。

我要出来了!

屎壳郎有"导航"

屎壳郎要想把粪球推到一个安全的地方藏起来,走对路线就很重要了。不过对屎壳郎来说,辨认方向是小菜一碟,它能依靠太阳、月亮以及天空中微弱的光芒来导航,准确地找到前进的正确方向。

小档案

寿命:约3年
体长:2.5~3.5厘米
食物:动物粪便

螳螂 捕虫神刀手

　　螳螂身材苗条，爱穿浅绿色衣裳，长着一双像薄纱一样轻盈的翅膀，在美丽的外表下，它还拥有一件厉害的武器，用这个武器可以捕获很多食物。

厉害的武器

　　螳螂胸前有两把"大刀"，是它的前腿，也是它的武器。螳螂捕食速度极快，当你还没有数完一个数字的时候，它已经用它的两把"大刀"，将眼前的猎物抓住，而且百发百中。所以人们又称它为"捕虫神刀手"。

对不起，
我太饿了。

残忍的小吃货

螳螂喜欢吃的食物有很多，例如蝗虫、苍蝇、蛾等昆虫。有时，它还会以同伴为食。例如最有名的雌螳螂"吃夫"事件，当雌、雄螳螂交配之后，没能迅速逃离的雄螳螂可能会被饥饿不已的雌螳螂抓住，吃掉。

今天的午餐
真丰盛！

小档案

寿命：6～8个月
体长：4～8厘米
食物：蝇、蚊、蝗等昆虫

9

萤火虫 草丛里的星星

"萤火虫,挂灯笼,飞到西来飞到东,就像一颗小星星。"在夏天的晚上,我们经常可以看到许多一闪一闪的萤火虫飞来飞去。

小档案

寿命:7~30天(成虫期)
体长:8~20毫米
食物:蜗牛

萤火虫会"说话"

萤火虫靠身体里的"发光器"发光,它一会儿亮一会儿灭,而且间隔时间不同,就像在"说话"一样。

萤火虫会"打针"

　　小小的萤火虫可是食肉的昆虫，而且最喜欢吃蜗牛。萤火虫对付比它个儿大的蜗牛有一套独特的方法：它在吃蜗牛前，会先给蜗牛打上"麻醉剂"，像医生给生病的人做手术之前要打麻醉药一样，等蜗牛昏迷后，无力抵抗了，再把蜗牛消灭掉。

呵呵，开吃了。

蚂蚁 导航专家

蚂蚁是一种常见的昆虫，它的祖先比人类出现得都早，这个小小的昆虫本领可不小。

有它在，不怕迷路

蚂蚁的方向感非常敏锐，能利用太阳来辨认回巢的方向；此外，蚂蚁还能根据气味认路。它会在爬过的地上留下气味，返回时只要追寻这种气味，就不会走错方向了。

相信你！

跟我走，保证不迷路。

蚂蚁的"降落秘诀"

大多数的蚂蚁没有翅膀，不过，它从高空摔下时，却不会摔伤。原来是因为它的体积小，身体轻，降落时受到空气阻力的影响，使得它的下降速度很慢，落地时会非常平缓，好像带着"降落伞"一样。

小档案

寿命：3～10年
体长：2.5～15毫米
食物：肉类、草叶等

蜜蜂 天才建筑师

"小蜜蜂，整天忙，采花蜜，酿蜜糖"。
蜜蜂不仅会酿蜜，它还是一个建筑师呢！

它们建造出来的
房子省材料。

它们的房子
非常的稳固。

它们的房子可以
增加空间容积。

蜜蜂的房子

蜜蜂的房子——蜂巢，是蜜蜂用蜜筑成
的。用最少的材料，建造出稳固的"房子"，
蜜蜂真是当之无愧的"天才建筑师"！

小档案

寿命：工蜂30～120天
　　　蜂王4～5年
体长：8～20毫米
食物：蜂蜜和花粉

蜜蜂大家庭

　　蜜蜂是群居性的昆虫，一个蜂巢里住着成千上万只蜜蜂。每一只蜜蜂都有着属于自己的工作，它们听从蜂王的命令，认真完成自己的任务，为整个大家庭服务。

七星瓢虫 身披星星的花大姐

瓢虫的形状很像用来盛水的葫芦瓢，所以我们叫它们瓢虫。它们的身体虽然跟黄豆一样小，但小身板里藏着大能量。

庄稼地里的保护神

被蚜虫吸食过汁液的庄稼很多都会枯萎死去。不要担心，"花大姐"七星瓢虫恰恰是蚜虫的天敌。一只七星瓢虫一天可以吃掉一百多只蚜虫呢，它们是庄稼的保护神。

坏蛋，我可饶不了你！

瓢虫爱装死

瓢虫有个看家本领，就是一遇到敌人，它就会从树上落到地面，并且把脚收缩在肚子底下，通过装死瞒过敌人。但这种伎俩对蜘蛛可不管用，因为蜘蛛会用蛛丝把瓢虫团团缠绕起来，被蛛丝缠住的瓢虫无法逃走，只能成为蜘蛛的美餐。

我被蜘蛛抓住了，呜呜呜……

小档案

寿命：30~80天
体长：5~7毫米
食物：蚜虫、木虱等

蜻蜓 闪电飞行员

蜻蜓喜欢在池塘、河边飞来飞去。别看它个子不大，它可是很有"本事"的。

飞行本领强

在昆虫世界里，蜻蜓的飞行本领可以说是前列的。它可以快得像闪电，也可以慢得像落叶，还能悬停在空中。当你以为可以抓住它时，一眨眼，它又飞远了。

你身上有小黑点。

这是我的飞行小秘密。

翅膀上的"缺点"

蜻蜓的每个翅膀上都有一个小黑块，这让它看起来并不美观，但少了这些小黑块可不行。它们可以消除高速飞行时翅膀上产生的颤抖，帮助蜻蜓平稳飞行。科学家按这个原理改进了飞机的机翼，使得飞机的飞行稳定了许多。

小档案

寿命：1~3个月（成虫期）
体长：20~150毫米
食物：蚊类及其他昆虫

蚕宝宝

裹在"丝被"里的小肉团

白胖胖的蚕宝宝，每天过着吃饱就睡的生活。

蚕宝宝会吐丝

蚕宝宝可以吐出能织成布的蚕丝。这是因为它体内有一个叫袋状囊的"小仓库"，里面储藏着很多丝液。当蚕宝宝吐丝时，丝液就从"小仓库"中被挤出来，遇到空气就变成长长的丝了。

桑叶真美味

蚕宝宝最喜欢的食物就是桑叶了，一片宽大的桑叶会很快就被吃干净。不过在没有桑叶的情况下，它们也会吃些葡萄叶、蒲公英和莴苣叶，但是吃多了容易生病。

生病了，好难受。

小档案

寿命：2~3个月
体长：约30毫米
食物：桑叶

蝴蝶　翩翩起舞的仙子

"蝴蝶蝴蝶真美丽，头戴金丝，穿花衣。你爱花儿，花爱你，你会跳舞它有蜜。"蝴蝶就是经常在花丛中飞舞的仙子。

小档案

阶段周期：10～15天
体长：5～10厘米
食物：花蜜

蝴蝶飞起来静悄悄

蝴蝶飞行时，翅膀振动的频率连10赫兹都达不到，而我们耳朵所能听到的声音频率范围在20～20000赫兹。所以蝴蝶飞行时，我们是听不到它飞动时发出的声音的。

蝴蝶身上有一层滑滑的"粉"

　　蝴蝶身上有一层滑滑的"粉状物"，叫作鳞粉。其实那并不是粉末，而是非常小的鳞片，需要在显微镜下才能看清楚它的形状。鳞粉不仅让蝴蝶拥有五彩斑斓的花纹和图案，还可以帮它减小飞行时的阻力、防雨，甚至还能像"空调"一样，调节身体温度呢。

要下雨了，我在穿雨衣。

涂这么多粉不累吗？

蝉 耳聋的歌唱家

夏天在窗外大声唱着"知了，知了"的小昆虫就是歌唱家——蝉。

蝉爱"唱歌"

雄蝉为了吸引雌蝉会每天唱个不停。但是它的听力很差，即使人在后面大声说话或吹口哨，也不会影响它，它照样唱得很欢，可惜的是它听不到自己美妙的歌声。

蝉会"撒尿"

蝉靠吸食树的汁液生活，当蝉吸入大量汁液后，身体会变得特别笨重，当蝉想要飞走时，就不得不排泄出好多液体。

小档案

寿命：3~17年
体长：4~5厘米
食物：树的汁液

25

毛毛虫
会变身的魔术师

"毛毛虫，爬呀爬，爬过草地，爬过枝丫，饿了吃树叶，累了睡一觉。呼呼呼，一觉睡了好几天，毛毛虫变成了蝴蝶。"

快跑！毛毛虫来了

毛毛虫的身上长着很多像针一样的毛，这些毛中含有毒液。被它的毒毛蜇一下，会特别疼。

毛毛虫会变身

当毛毛虫快变成成虫的时候，就不再吃东西了，它会寻找安全的地方，吐丝，结蛹，然后美美地"睡一觉"。几天后，它会从蛹中钻出来，变成蝴蝶。

不过，不是所有的毛毛虫都可以变成蝴蝶。蛾类的幼虫也是毛毛虫，这类毛毛虫将会变成蛾。

蛾类毛毛虫的演变：

1.正在吐丝的毛毛虫。

2.毛毛虫变成茧。

3.破茧。

4.变成蛾。

终于出来了。

小档案

阶段周期：10～60天

体长：2～3厘米

食物：草叶

蝗虫 庄稼地里的坏蛋

蝗虫也叫蚂蚱，它可是庄稼地里有名的小坏蛋，会成片成片地毁掉我们的庄稼。

成群结队的蝗虫

蝗虫需要较高的体温来维持生命活动，所以它们总是成群结队地行动，这样就可以减少热量的流失了。当蝗虫集中迁移时，所经过的地方，往往连一片草叶都不剩。因此，它的名声变得很坏。

跳远健将

蝗虫是有名的跳远健将，它粗壮的后腿长满了肌肉，可以提供足够的能量。不过，蝗虫平时只是慢慢地爬动，只有在紧急情况下才会跳跃。它随便一跳，就可以跳出相当于自己身体长度几十到几百倍的距离。

小档案

寿命：2~3个月
体长：20~40毫米
食物：肥厚的叶子

放屁虫 会"投弹"的臭大姐

放屁虫也叫"臭大姐",不仅身体臭,名声也是臭臭的。

"臭气弹"威力大

放屁虫有一个绝活,就是当它受到攻击时,便会从腹部的顶端释放出"臭气弹"。敌人闻到臭味就不敢进犯,而放屁虫就会乘机逃跑。其实,"臭气弹"并不是攻击性的武器,而是它自卫的"法宝"。

放屁虫也疯狂

人们不仅讨厌放屁虫发出的臭味，更讨厌它们干的坏事。放屁虫总会在蔬菜和果树上咬来咬去，危害蔬菜和果实。所以，人们看到放屁虫就会立刻消灭它们。

小档案

寿命： 16～50天
体长：1.7～2.5厘米
食物：树木或果实的汁液

我有特异功能。

哈哈，桃子真好吃。

受不了啦，快跑！

啊，救命。

竹节虫 双料冠军

竹节虫穿着绿色或褐色的衣服，体形像竹节。如果你在森林遇到它，肯定认不出来，因为它会"隐身"，是不是很厉害呢？

小档案

寿命：3~6个月
体长：3~63厘米
食物：食草

体长冠军

　　竹节虫可以称得上是中至大型的昆虫。小的竹节虫跟成人的小手指一样长，而巨型的竹节虫站立起来可以到达成人的膝盖。这样的巨型竹节虫，也是昆虫王国里的体长冠军。

伪装大师

　　竹节虫有着高超的"隐身"本领，当它爬到植物上时，能让身体变得像植物枝叶的形状；它还能根据光线、湿度、温度的差异改变体色，让自己融入周围的环境中，这样敌人就很难发现它。

33

蟋蟀 麦田里的演奏家

蟋蟀也就是我们常说的"蛐蛐"，它们主要生活在田野、草丛等地方。雌蟋蟀是安静的"小淑女"，而雄蟋蟀表面上是高音演奏家，背地里可是打架小能手。

小档案

寿命：约140天
体长：约2厘米
食物：农作物、树苗、菜果等

雄蟋蟀会"唱歌"

　　雄蟋蟀并不是用嘴发出声音，而是用翅膀。它的翅膀边缘有齿状的刮片，只要摩擦两只翅膀，就能发出"啾啾"声了。夜晚雄蟋蟀会一直唱，这既是警告别的同性："这是我的领地，你不许进入！"同时又是在吸引异性："我在这儿，快来吧！"

> 我的乐器很独特哦。

打架不是好孩子

　　雄蟋蟀有着一种天生好斗的性格，它的领地意识非常强，不能容忍其他雄性接近它的领地。只要两只雄蟋蟀相遇，必然会一决高下，打得头破血流。

它们不是昆虫

它们有的会"捉迷藏"、有的会"变魔术"、

有的身体有毒、

有的肌肉"强健"，

它们不是昆虫，

它们到底是谁？

蜘蛛是个纺织小能手

蜘蛛是节肢动物，也是天生的纺织能手，它只需一个小时甚至更短的时间就能织出一张新蛛网来。

蜘蛛 纺织小能手

蜘蛛网粘不住蜘蛛

蜘蛛很聪明，它织网时用了两种丝，所以蛛网上有一些丝没有黏性。蜘蛛在没有黏性的丝上活动，就不会被自己的网粘住。

蜗牛背着大房子

蜗牛是软体动物，头上长有四只触角，眼睛长在头部的后一对触角上。它背上背着一个螺旋形的壳，走动时头尾从壳里伸出，受到惊吓时头尾就一起缩进壳中。

蜗牛 背着房子的旅行者

蜗牛牙最多

蜗牛是世界上牙齿最多的动物。虽然它的嘴大小和针尖差不多，但里面长着2万多颗牙齿。

蜈蚣 凶猛的用毒大师

"百足虫"蜈蚣

蜈蚣是节肢动物，有几十对足，有的可达一百多对，所以人们用"百足虫"来形容它。

蜈蚣很凶猛

蜈蚣是典型的肉食性动物，它能射出毒液，可以杀死比自己大的动物。

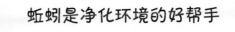

蚯蚓是净化环境的好帮手

蚯蚓是环节动物，每天都要吞食大量腐烂的有机物和泥土，一条蚯蚓一天可以吃掉相当于自身重量的有机废物呢。

蚯蚓 能干的土壤净化员

蚯蚓很美味

蚯蚓的身体里含有大量的蛋白质和脂肪，是鸡、鸭、鹅等家禽和一些鱼类最爱的食物。

41

昆虫观察记

昆虫的触角

虽然昆虫没有鼻子，但它们的头部都长有触角，这些触角主要起嗅觉和触觉的作用，有的昆虫触角还具有听觉作用。

昆虫都是近视吗

昆虫大多是"近视"，虽然有复眼和单眼，但它们的视力很差，只能分辨近处的物体。蜻蜓是昆虫中视力较好的，它的复眼可以看到各个方向。但是它也只能看清近处的物体，远处的物体对它而言就像一个模糊的影子。

昆虫是在装死，还是真的死了

　　许多昆虫遇到危险的时候会装死逃生，跟真的死了一样。这时候可以用一根小木棒碰碰它们的身体，如果身体紧绷的，就是在装死；如果身体松弛，就是真的死了。

昆虫为什么长不大

昆虫是外骨骼构造，它们的成长需脱掉旧壳长出新壳，这个过程很容易受到敌人攻击。如果体型过大，会大大增加换壳的时间，使昆虫更久地处于危险中。

木头下面的小昆虫

在潮湿的木头下常有昆虫出没。除此之外，它们也喜欢待在石头下面或田地里。

昆虫不会流血吗

昆虫的血液含有不同的色素物质，因此血液颜色也不相同，常见的有黄色、绿色、橙红色等。

昆虫会咬人

大多数昆虫不会主动攻击人类，不过蚊子这类的虫子除外。如果被蚊子叮了，可以涂一些止痒的药。

昆虫出现啦

昆虫种类繁多，是地球上数量最多的动物群体。它们的踪迹几乎遍布世界的每一个角落。

昆虫大军

书里跑出了各种小昆虫。咦？好像有其他的小虫子混进去了。

找一找

一只蜗牛爬进了右边的昆虫大军里，找找看，你能否发现它。

游戏时间

折知了

夏天到了, 繁茂的树上又传来了知了的 "歌声"。
让我们一起用纸折一只小知了吧!

所需物品 彩色纸、签字笔、图画纸、蜡笔、胶水。

制作方法 1. 按图1所示折出知了。
2. 为了突出知了的特点, 请用签字笔画
出知了的眼睛和翅膀上的纹路。
3. 在图画纸上画一棵大树, 并把刚才折
的知了粘上去 (如图2)。

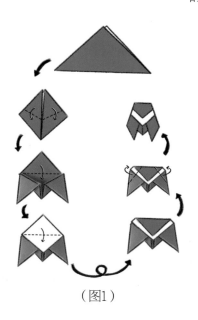

（图1）

（图2）